D1327337

Ce livre appartient à
....

Pour David

UNE PETITE OIE PAS SI BÊTE
Caroline Jayne Church
Adaptation
de Michelle Nikly
et Louis de Aguiar
ALBIN MICHEL JEUNESSE

Il était une fois un troupeau d'oies qui vivait dans une ferme.
Elles avaient toutes le plumage blanc
comme neige et le bec étincelant.

Enfin... sauf une.

Cette petite oie-là se roulait dans la mare de gadoue.
Son plumage était loin d'être blanc
et son bec était tout sauf étincelant.

Les autres n'arrêtaient pas de se moquer d'elle.
« Eh, regardez-la dans sa mare de gadoue,
cancardaient-elles, ouh ! La vilaine oie de la mare cra-cra ! »

Les oies menaient une vie heureuse et tranquille.
Sauf les nuits de pleine lune...
Là, elles tremblaient toujours de peur.

Car les nuits de pleine lune...

Wouuuuuffff!

Le renard surgissait d'un coup
et chassait toutes les oies
jusqu'au pied de la colline,
dans les bois et autour
de la ferme.

Enfin... toutes,
sauf une. Car le renard ne chassait jamais
la petite oie de la mare.

Un matin, après une nuit de pleine lune particulièrement terrible, les oies décidèrent qu'elles en avaient assez. Il était temps d'aller parler à la petite oie de la mare.

« Pourquoi le renard ne te chasse-t-il jamais ?
lui demandèrent-elles. As-tu un secret
que tu ne veux pas nous dire ? »

« Pas du tout, dit la petite oie de la mare. C'est à cause de mes plumes couvertes de boue. La nuit, elles se fondent dans le noir... Du coup, le renard ne me voit pas, même sous la pleine lune. »

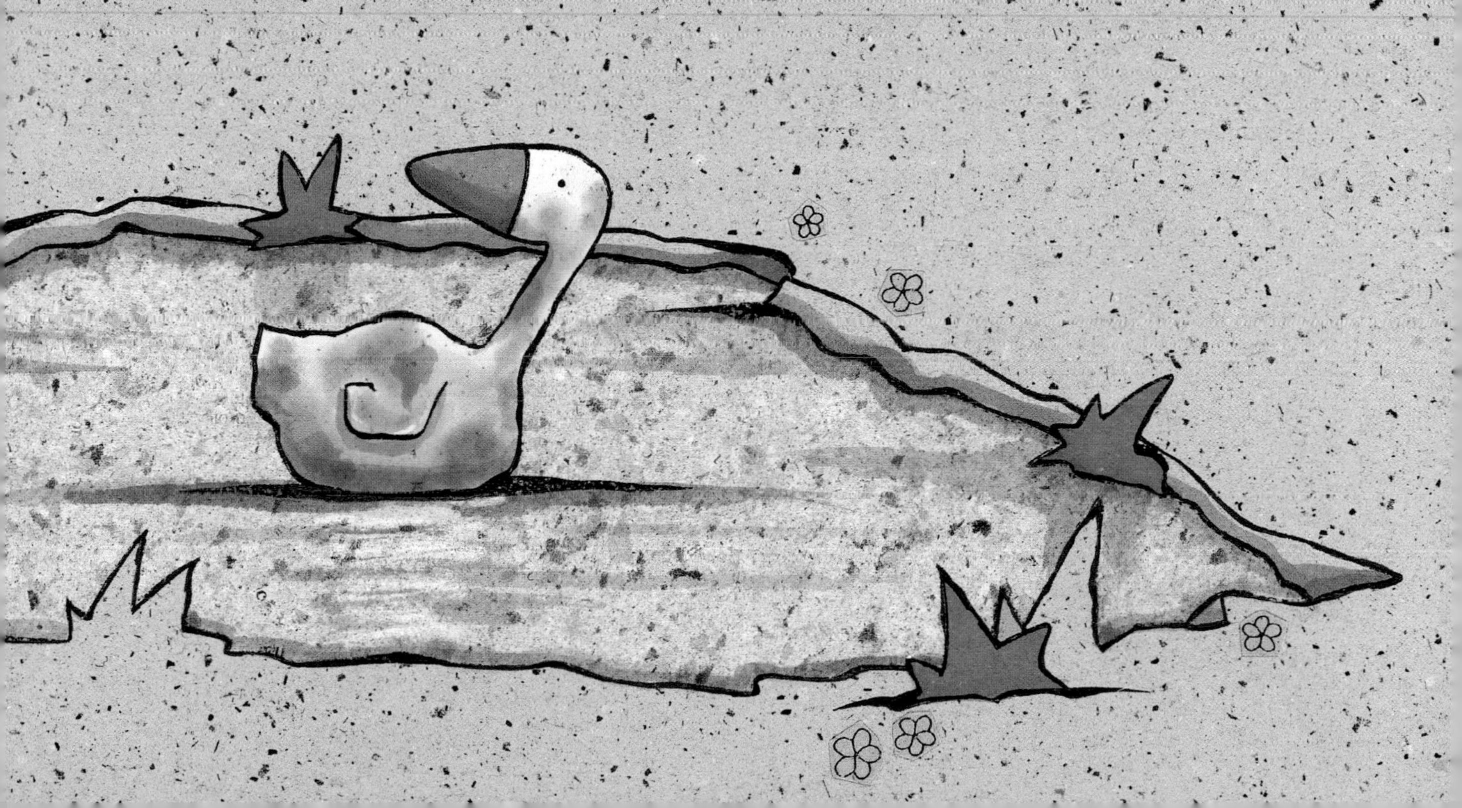

Les oies se regardèrent...

… et coururent se jeter
dans la mare boueuse la plus proche !

Les jours passèrent.
Les oies, désormais toutes couvertes de gadoue,
picoraient tranquillement sur la colline.

Enfin... toutes, sauf une.

La petite oie regardait le ciel
chargé de lourds nuages gris.
Elle frissonna : cela ne pouvait signifier qu'une chose.
Elle appela les autres et essaya de leur parler.
Mais elles ne voulurent pas l'écouter.

Alors elle s'éloigna à nouveau et se mit en quête,
cette fois, d'une mare claire et limpide.

Là, elle se lava et se frotta,
se relava et
se refrotta,
jusqu'à ce que son plumage
soit blanc comme neige.

Cette nuit-là, une lune toute ronde se leva.
Et **wouuuuufff !** Le renard surgit d'un coup
et se mit à poursuivre toutes les oies.

Enfin... toutes, sauf une.
Car le renard ne vit pas
la petite oie de la mare.

Et il ne vit pas non plus sa patte,
qu'elle avait tendue
pour lui faire un croche-pied.
Boum, badaboum, il fit la culbute dans la neige
et dévala la colline à toute allure...

Il roula loin, si loin qu'il finit par disparaître.
« Il est parti! » s'exclamèrent les oies.
« Oui, et à mon avis, nous ne le reverrons pas de sitôt! » dit la petite oie en souriant.

« Oh, merci, tu nous as sauvées ! » s'exclamèrent les oies. Et pour la première fois de sa vie, la petite oie de la mare se sentit acceptée dans le troupeau.

Dans la collection Panda poche :

8 Petites Ballerines
Grace Maccarone/Christine Davenier
9 Petites Ballerines et 1 prince
Grace Maccarone/Christine Davenier
21 Éléphants sur le pont de Brooklyn
April Jones Prince/François Roca
Balade de Max (La)
Gauthier David/Marie Caudry
Dîner fantôme (Le), Jacques Duquennoy
Été de Garmann (L'), Stian Hole
Fée Coquillette aime les histoires d'amour (La)
Didier Lévy/Benjamin Chaud
Fée Coquillette et la Maison du bonheur (La)
Didier Lévy/Benjamin Chaud
Fée Coquillette et l'Arbre-école (La)
Didier Lévy/Benjamin Chaud
Fée Coquillette fait la maîtresse (La)
Didier Lévy/Benjamin Chaud
Granpa, John Burningham
Île flottante, Jacques Duquennoy
Je mange, je dors, je me gratte, je suis un wombat
Jackie French/Bruce Whatley
Maé et le Lamantin, Alex Godard
Maman-dlo, Alex Godard
Marre du rose, Nathalie Hense/Ilya Green
Mohamed Ali champion du monde
Jonah Winter/François Roca
Moi Dieu Merci qui vis ici
Thierry Lenain/Olivier Balez
Monsieur Ours qui pue des pieds, Merlin
Mystère des graines à bébé (Le)
Serge Tisseron/Aurélie Guillerey
Perdu!, Antonin Louchard
Péronnille, la chevalière
Marie Darrieusecq/Nelly Charles-Blumenthal
Petite Sœur Grande Sœur, LeUyen Pham
Petites Ballerines et la Belle au bois dormant (Les)
Grace Maccarone/Christine Davenier
Petit Pâtissier (Le), Lars Klinting
Peut-on faire confiance à un crocodile affamé ?
Didier Lévy/Coralie Gallibour
Pipi de nuit, Christine Schneider/Hervé Pinel
Pôle Nord pôle Sud, Jacques Duquennoy
Popotin de l'hippopo (Le)
Didier Lévy/Marc Boutavant
Rex et Moi, Fred Bernard/François Roca
Secret de Jeanne (Le), Arnaud Alméras/Robin
Solinké du grand fleuve
Anne Jonas/François Roca
Tapis en peau de tigre (Le), Gerald Rose
Trois Sœurs casseroles (Les)
Marie Nimier/Frédéric Rébéna
Une petite oie pas si bête
Caroline Jayne Church
Wahid, Thierry Lenain/Olivier Balez

Pour l'édition originale produite et publiée par Oxford University Press, Great Clarendon Street, Oxford OX2 6DP, Royaume-Uni et parue sous le titre *Pond Goose*
© 2003, Caroline Jayne Church pour le texte et l'illustration. © 2004 Albin Michel Jeunesse, 2016 pour la présente édition poche, 22, rue Huyghens, 75014 Paris – Blog : albinmicheljeunesse.blogspot.fr – Loi n° 49-956 du 16 juillet 1949 sur les publications destinées à la jeunesse – Dépôt légal : premier semestre 2016 –
N° d'édition : 21761 – ISBN-13 : 978-2-226-31562-5 – ISSN : 2272-5199 – Imprimé en France par Pollina s.a. - L76199B.